四庫全書記事

子部

商務印書館

家語卷一

魏　王肅　注

相魯第一

孔子初仕為中都宰（中都魯邑）制為養生送死之節長幼異食（如禮年十五異食也）強弱異任（任謂力作之事各從所任不用弱也）男女別塗路無拾遺器不彫偽（彫畫無文飾不詐偽）為四寸之棺五寸之槨（以木為郭）因丘陵為墳不封（不聚土以起墳者也）不樹（不樹松柏）行之一年而

西方之諸侯則焉（魯國在東故西方諸侯皆法則）定公謂孔子曰學子此法以治魯國何如孔子對曰雖天下可乎何但魯國而已哉於是二年定公以為司空乃別五土之性（五土之性）（一曰山林二曰川澤三曰丘陵四曰墳衍五曰原隰）而物各得其所生之宜（所生之物）（各得其宜）咸得厥所先時季氏葬昭公于墓道之南（季平子逐昭公）（死于乾侯平子別而葬之貶之不令近先公也）孔子溝而合諸墓焉謂季桓子曰貶君以彰己罪非禮也（桓子平子之子）今合之所以掩夫子之不臣由司空為大司寇設法而不用無姦民定公與

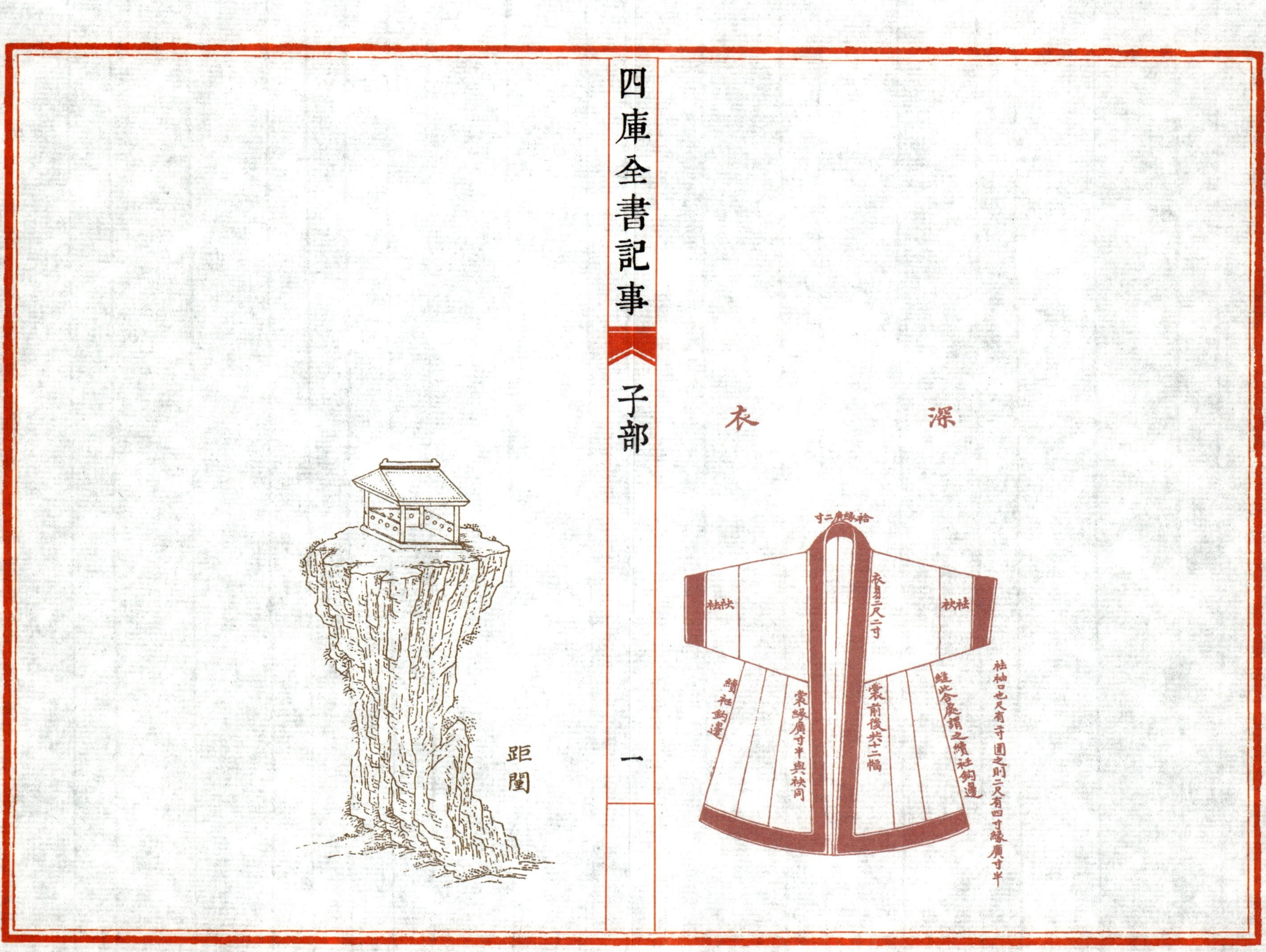
四庫全書記事
子部
一
距闉
深衣
袷緣廣二寸
衣身二尺二寸
袂袪
袂袪
續衽鉤邊
裳緣廣寸半與袂同
裳前後共十二幅
縫此合處謂之續衽鉤邊
袪袖口也尺有二寸圍之則二尺有四寸緣廣寸半

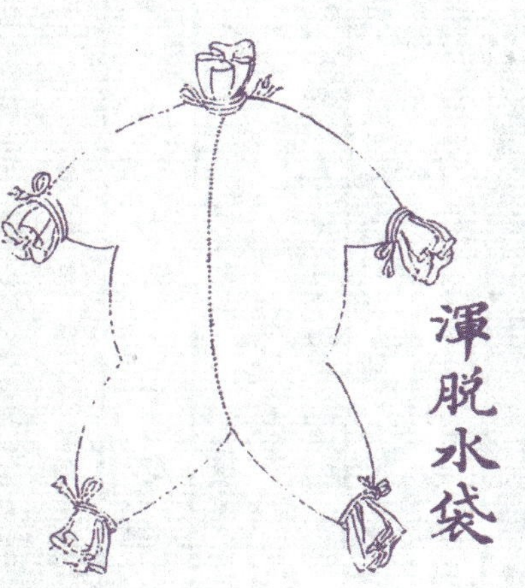
渾脫水袋

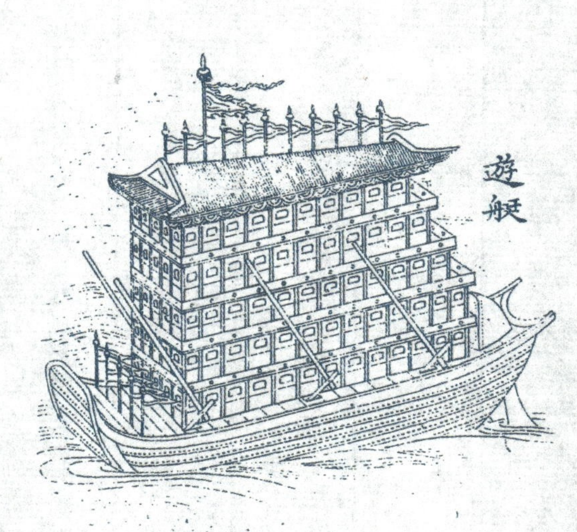
遊艇

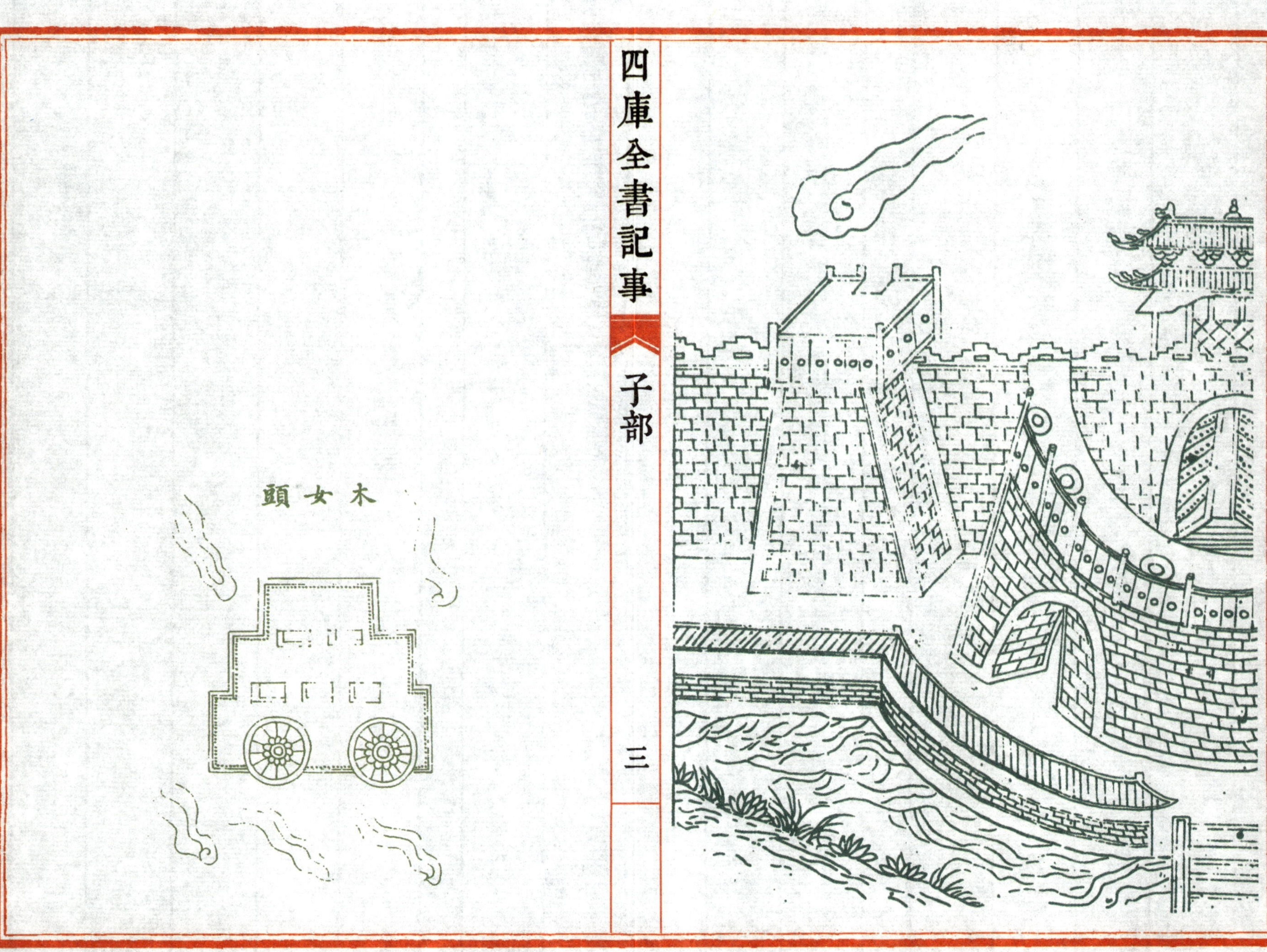
木女頭
四庫全書記事
子部
三

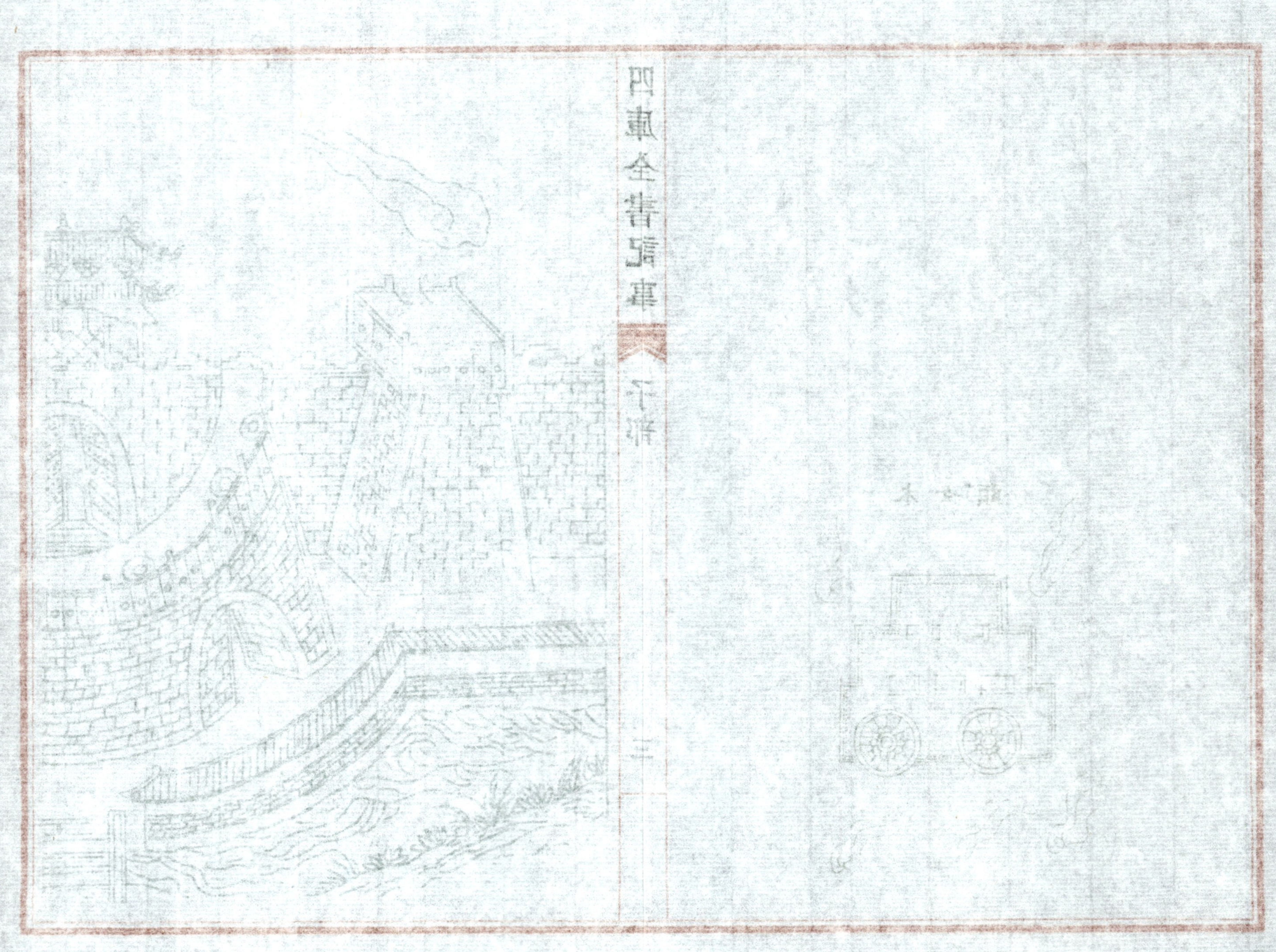

撞車

狼牙拍
飛鉤

旋風五砲

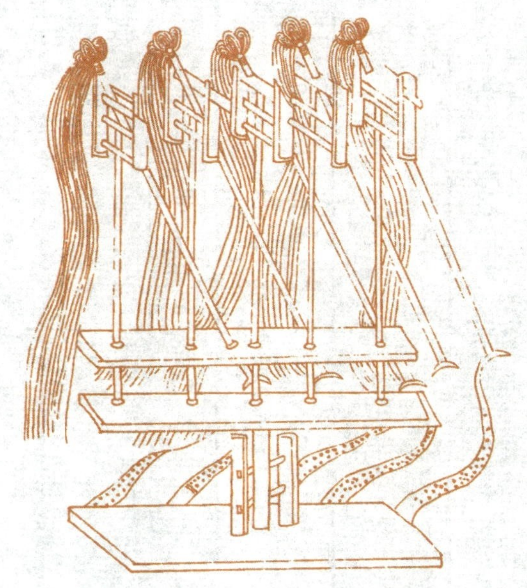

通錐

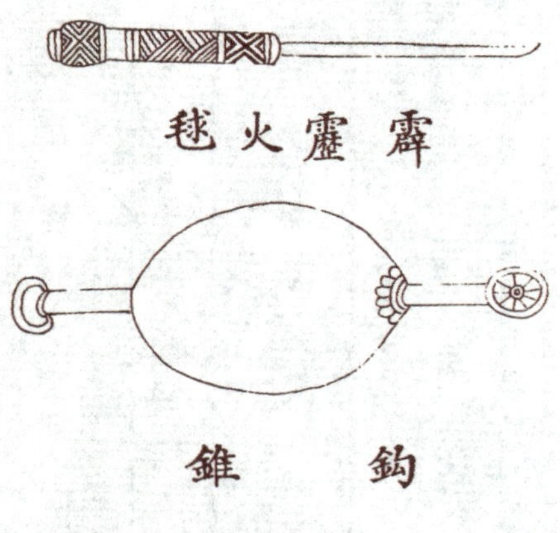

霹靂火毬

鉤錐

四庫全書記事

子部

六

直符送書勢

望樓

亢金龍

缺
常

一敵臺圖

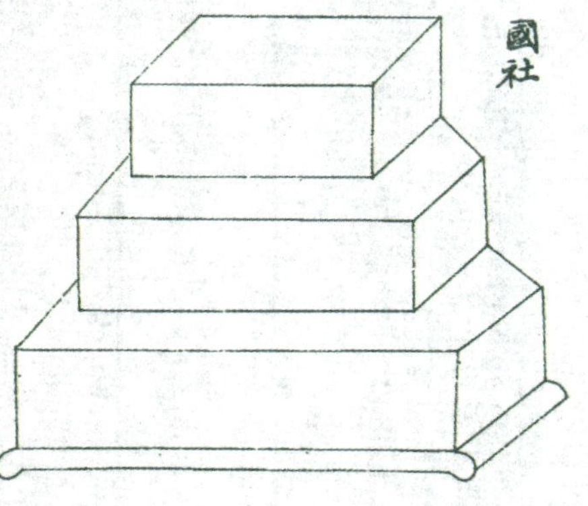
國社

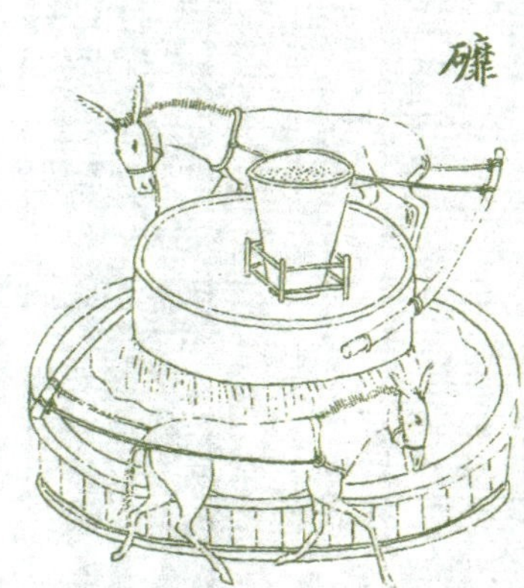
礳

蠶神

天駟星

黄帝元妃西陵氏始蠶

馬頭娘

三姑

梭

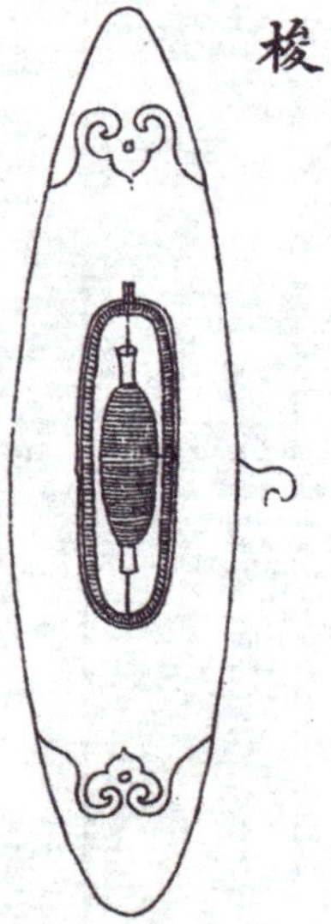

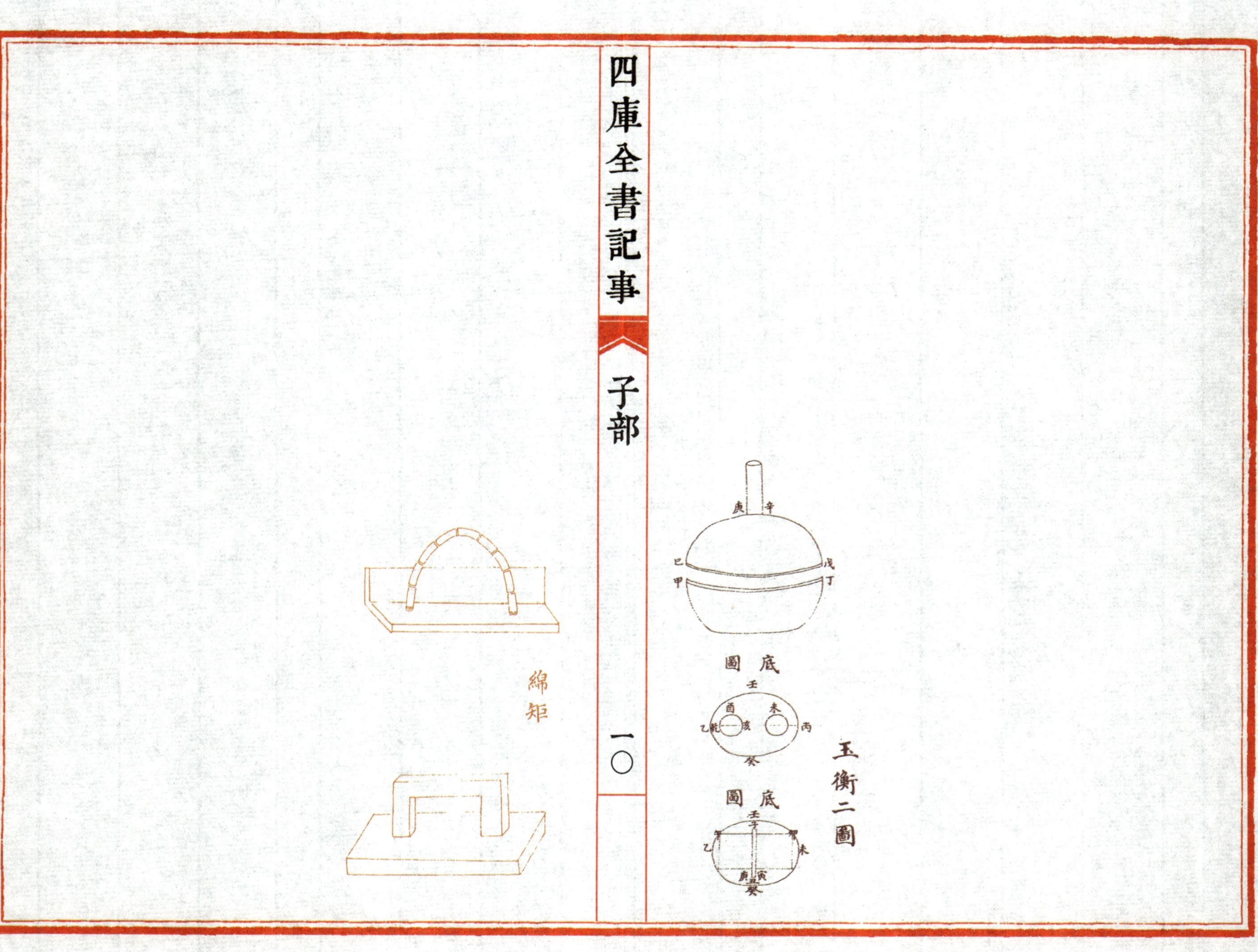
四庫全書記事
子部
一〇
綿矩
庚
辛
巳
戊
甲
丁
底圖
底圖
玉衡二圖

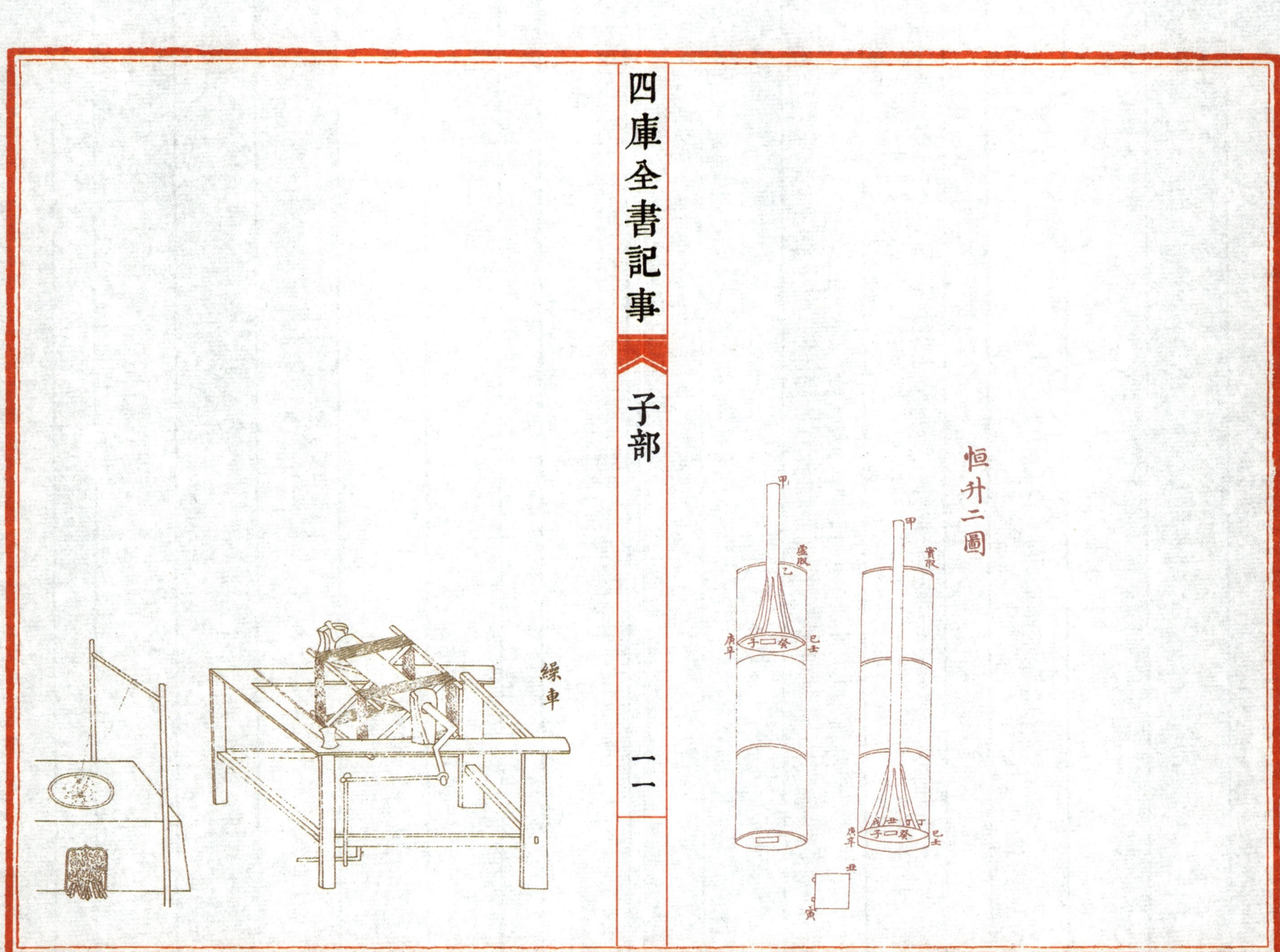
恒升二圖
四庫全書記事
子部
一一
繅車

木綿撥車

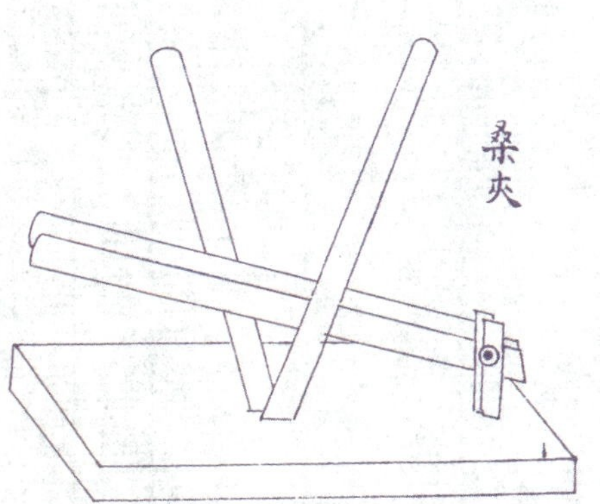

桑夾

四庫全書記事

子部

一三

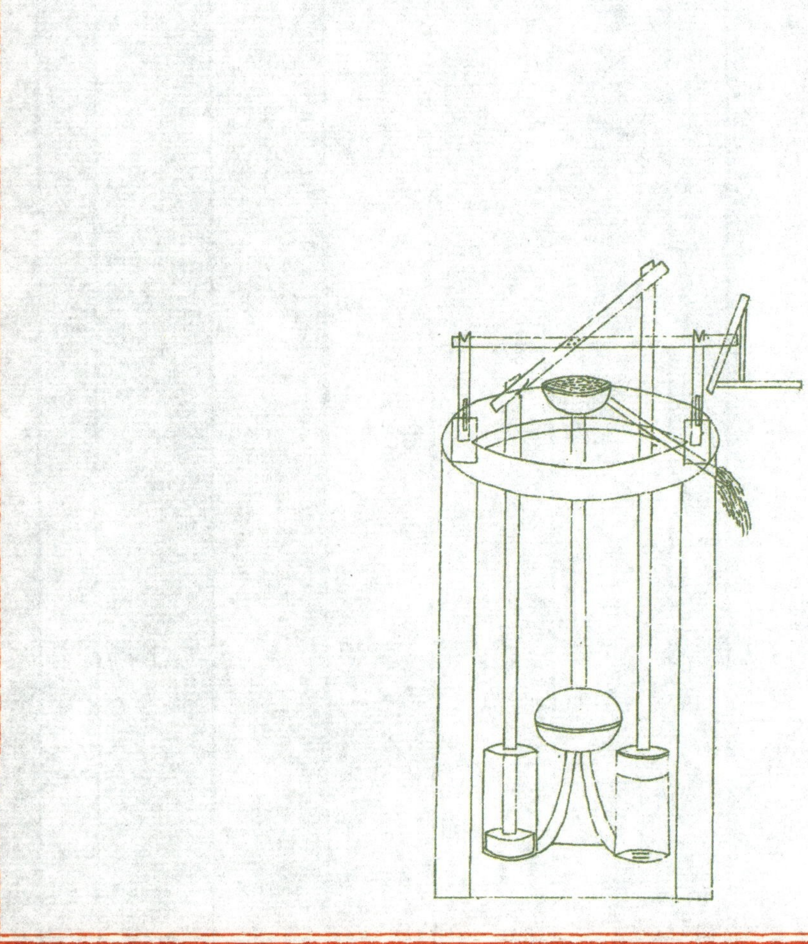

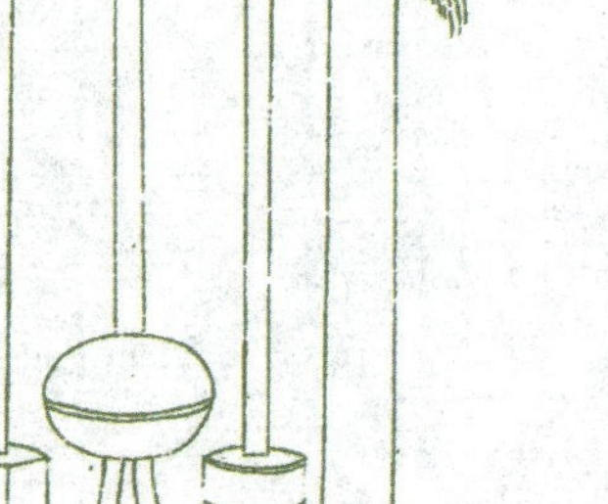

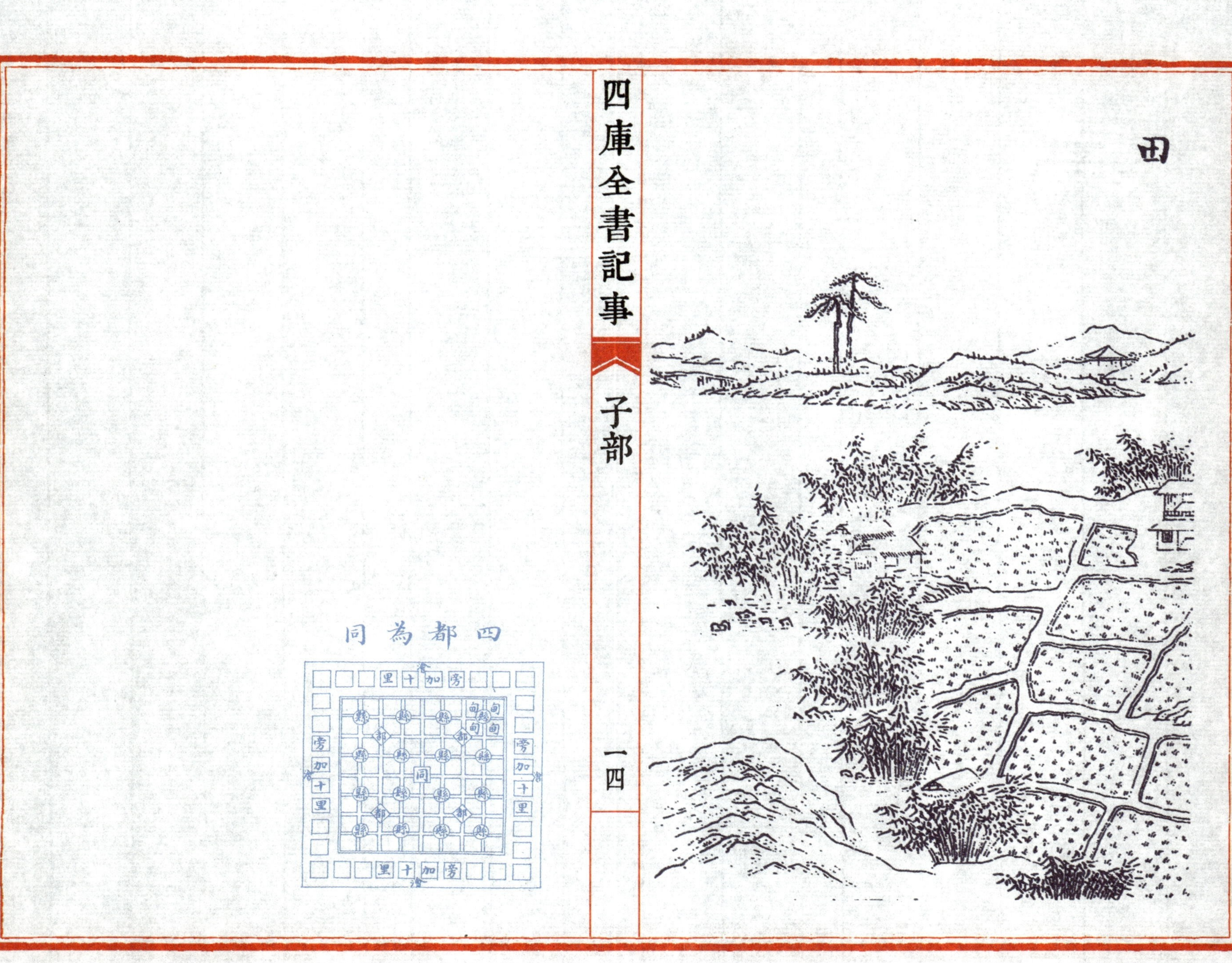
四庫全書記事
子部
一四
田
四都為同

回回豆

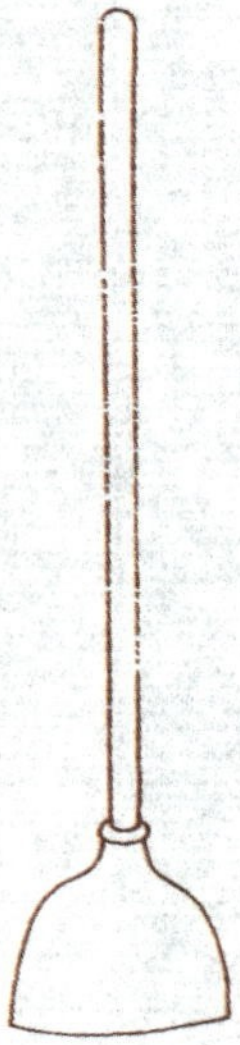

錢

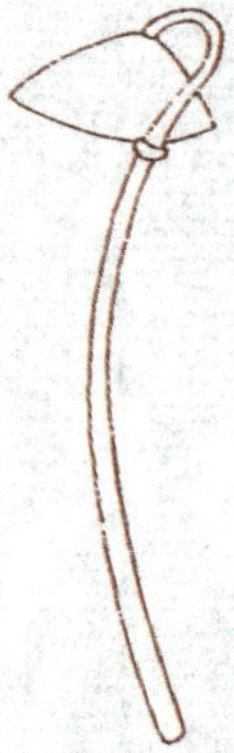

鎛

摜稻簟

牛

茴香

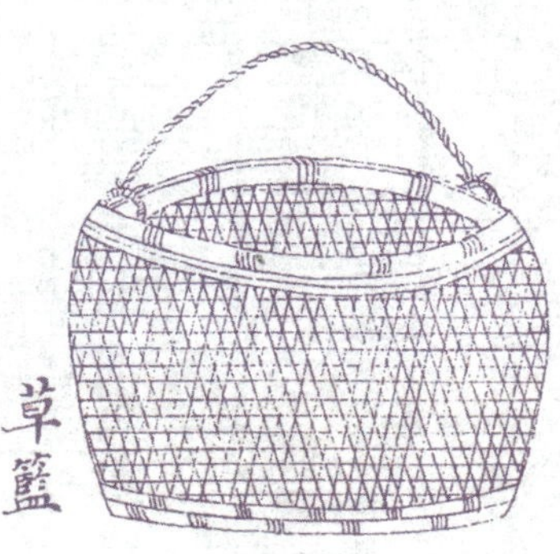

草籃

四庫全書[illegible]

子部

一七

刈刀　漚池

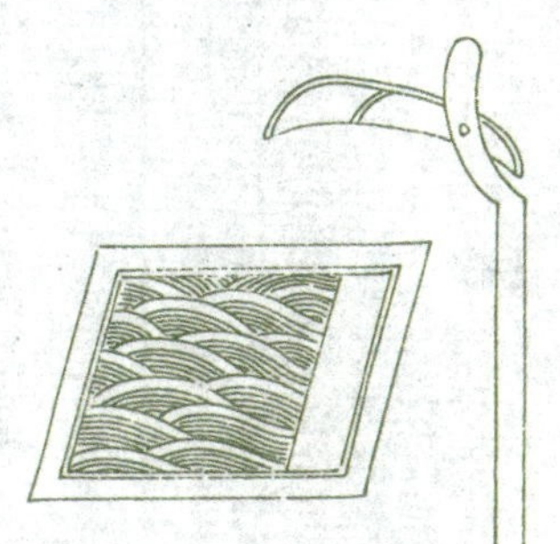

款冬花

小紡車

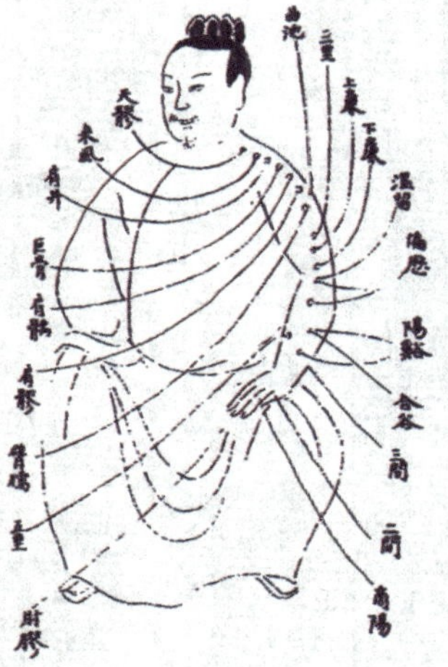

四庫全書記事

子部

一九

側人手陽明大腸經

宜州丹砂

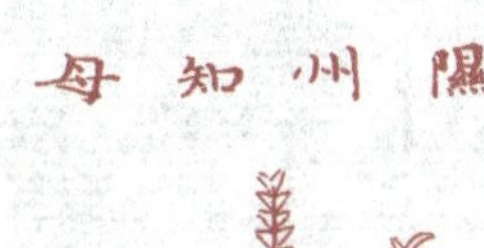
隰州知母

四庫全書記事

子部

二三

鼉龍

螳螂桑螵蛸

鴨鳧

膃肭獸

水獺

四庫全書薈要

子部

一四一

文鰩魚

欽定四庫全書

御纂醫宗金鑑卷八十九

編輯正骨心法要旨

胸骨圖

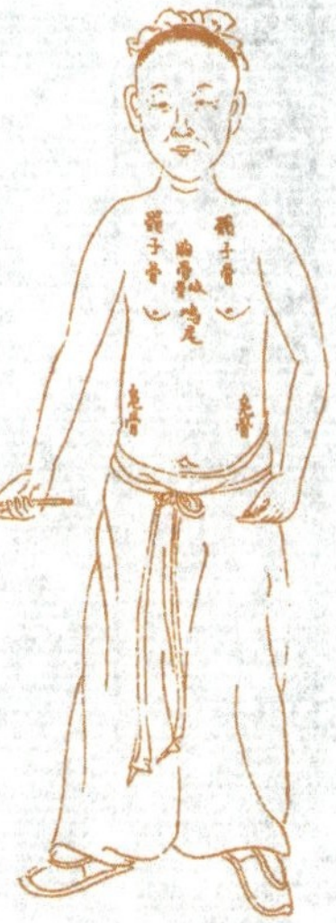

昇水上輪

昇水上壺

昇水下輪

昇水下壺

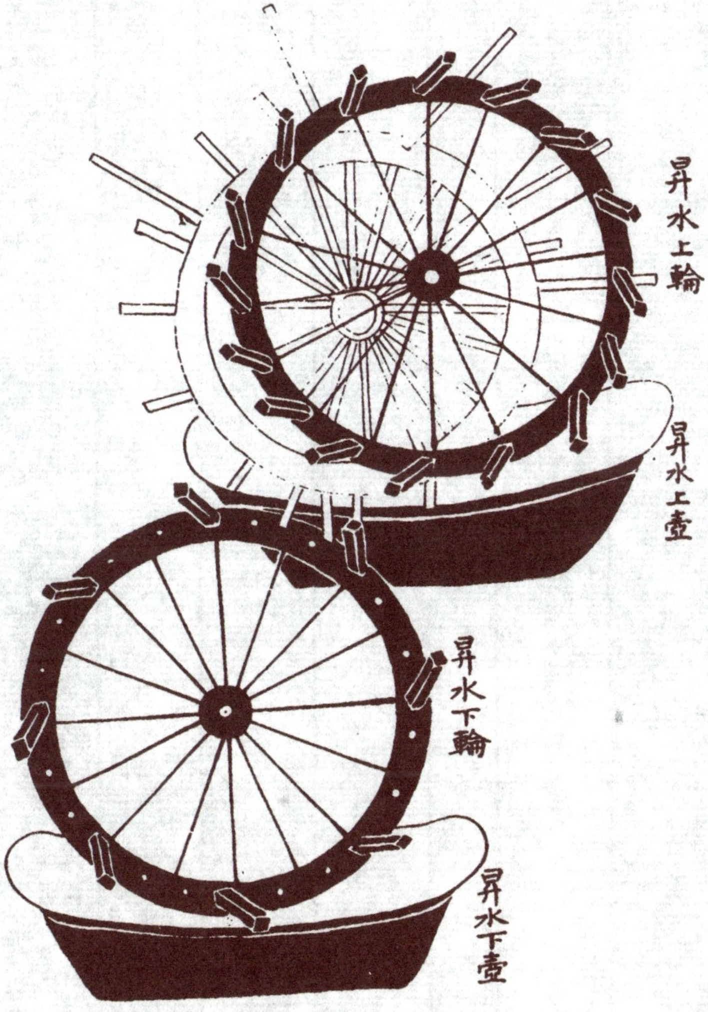

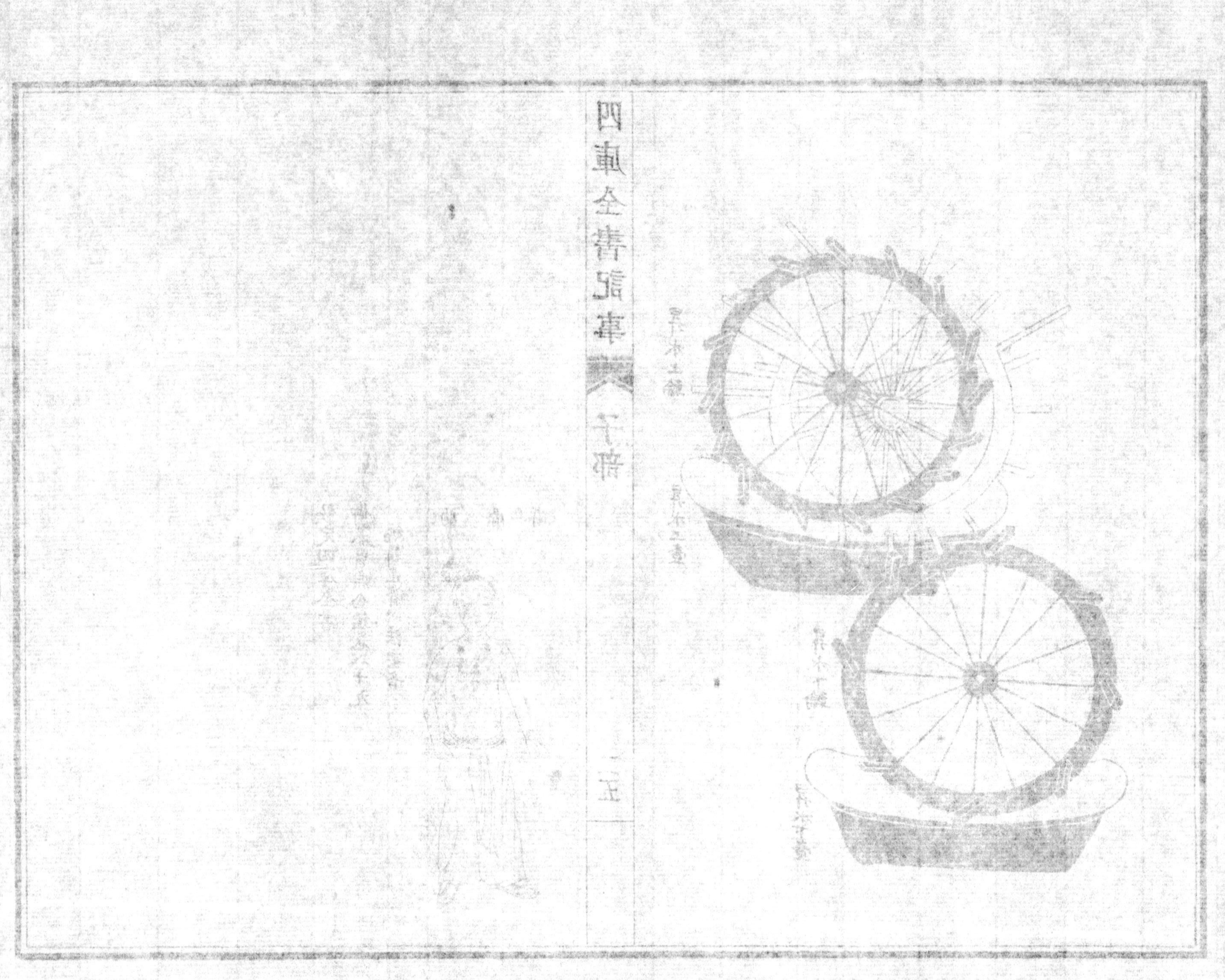

黃赤道南北極之圖

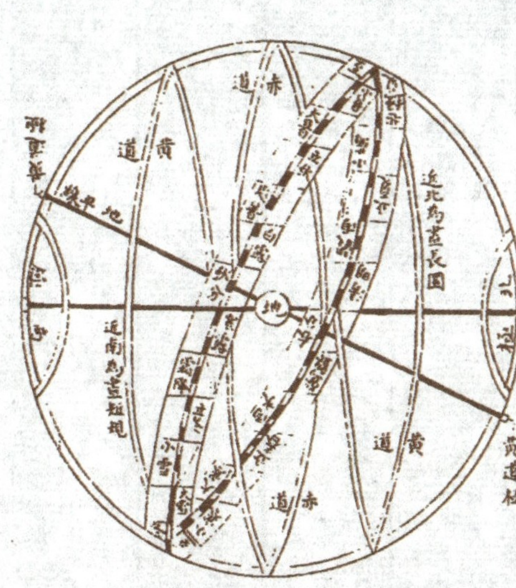

四庫全書記事

子部

先天圖合大衍數

太極居中不可以數名陽一陰二得三老陽一少陰二少陽三太陰四得十乾一兌二離三震四巽五坎六艮七坤八得三十六合之為四十九若以居中之太極足之則得五十

大衍之數五十則太極之位居中故曰易有太極

易有太極
是生兩儀
兩儀生四象
四象生八卦

天地定位
山澤通氣
雷風相薄
水火不相射

太陽居一而含九餘三位得九
少陰居二而含八餘三位得八

少陽居三而含七餘三位得七
太陰居四而含六餘三位得六

五十用四十九圖

大衍之用四十九則太極之位本虛故曰無極而太極

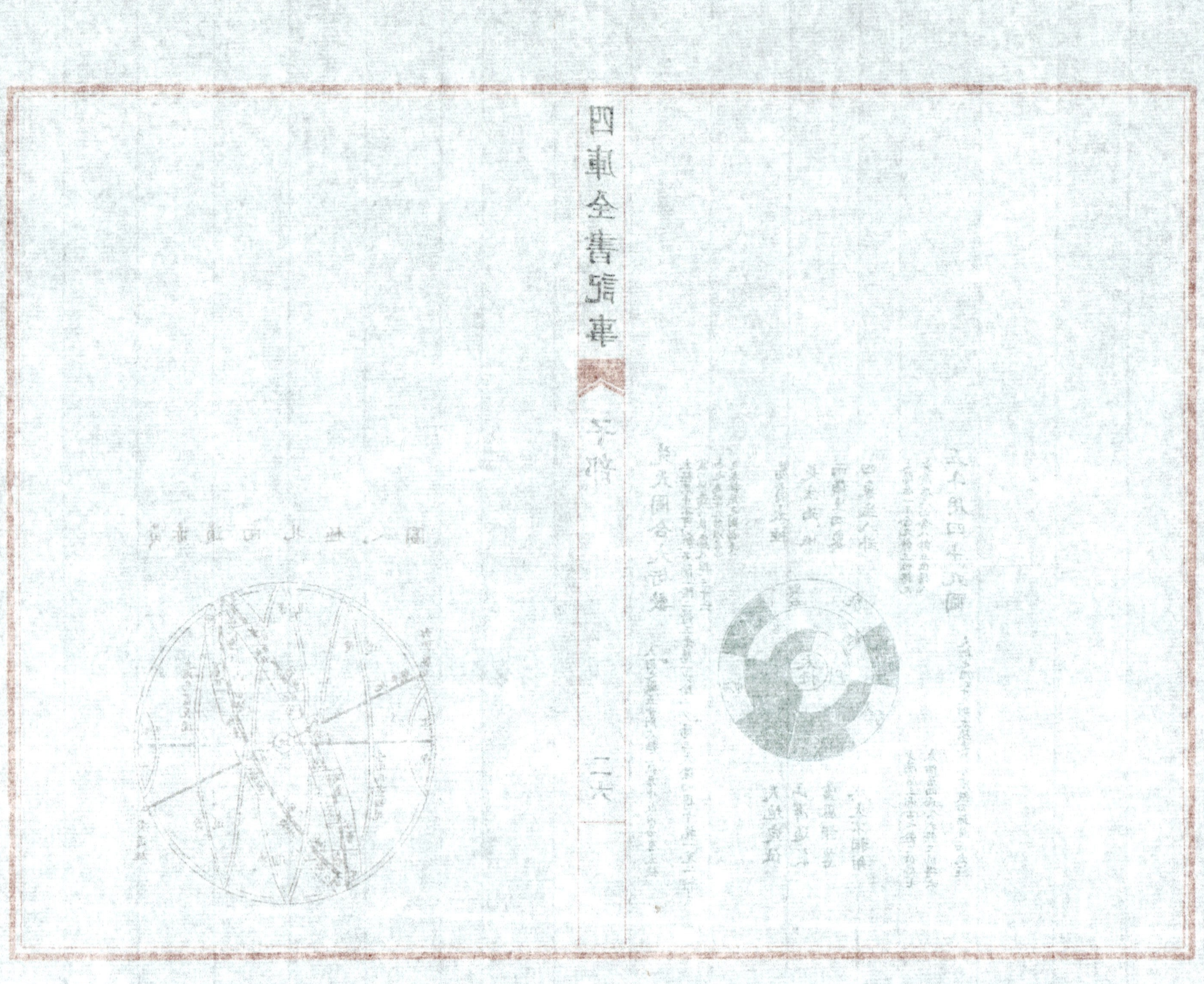
四庫全書

諸工以火頭管數約之爲火頭半之爲部

押石壩圖 按此圖舊本在答數後今移此

凡旋轉之圈俱貫入子午南北二處而承子午圈者地平也地平圈平置架上不動而子午圈則可上可下以應各方北極出地之度承架短

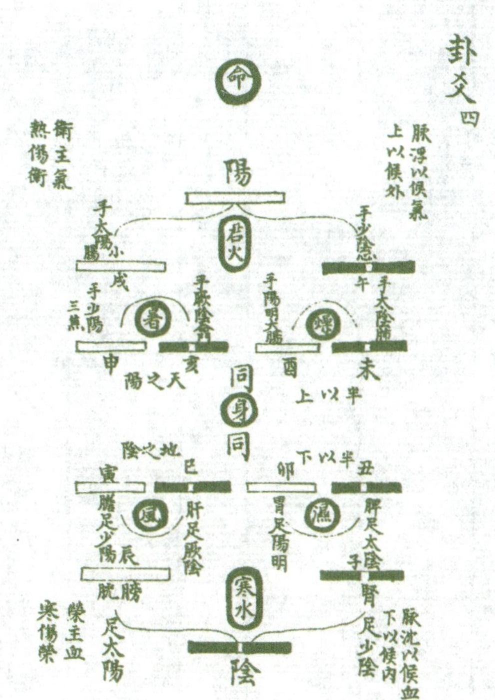

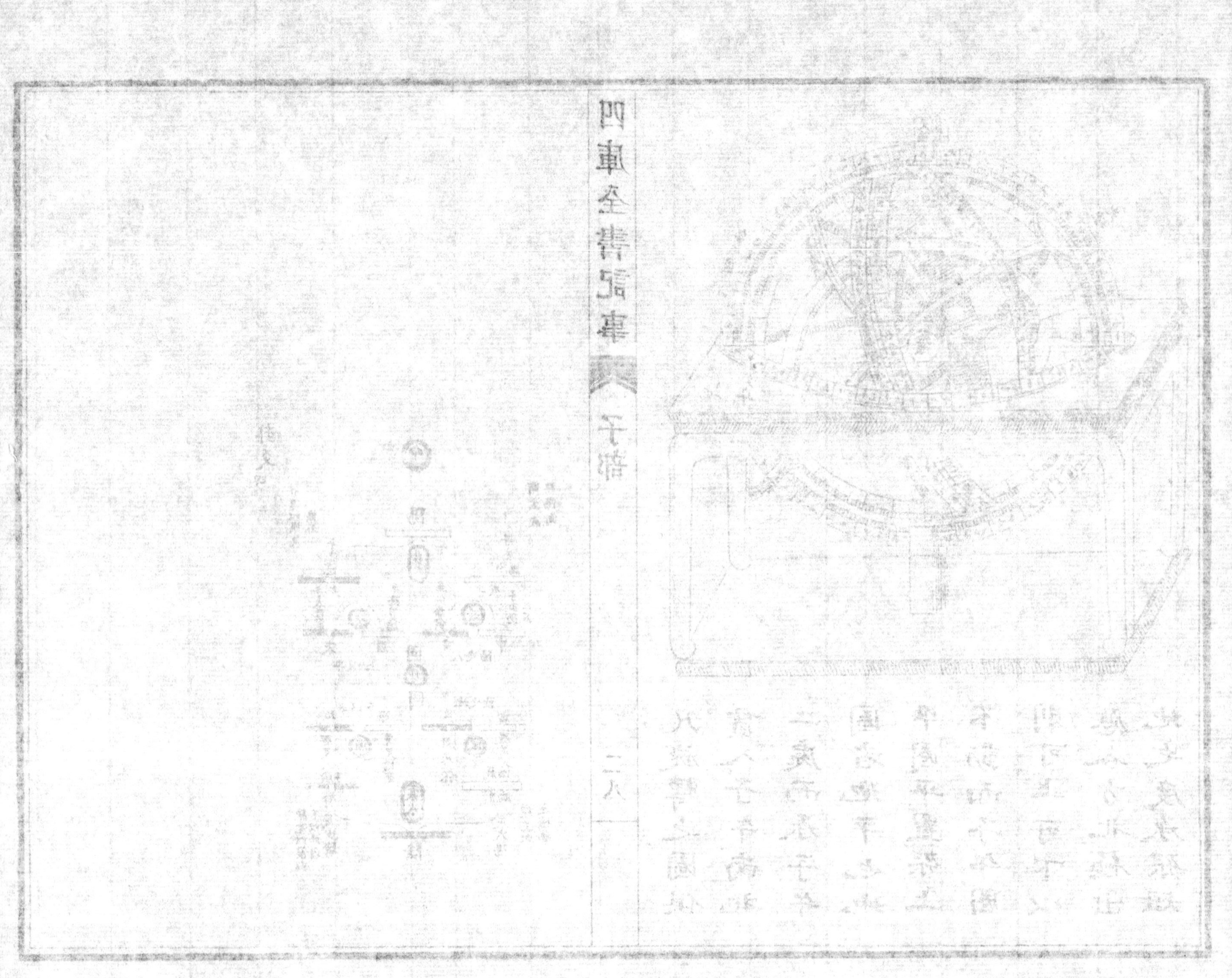

玉井紋

立身紋帶一井為
福德之人有二三
井為玉梯重井清
貴

一井紋為福德人
二三重井玉梯名
此人必定能清貴
進入朝中佐聖明

三峯紋

掌上巽離坤位要
三峯堆起肉豐滿
高如肉棗色紅潤
主富

三峯堆起巽離坤
內滿高如棗樣圓
光澤要加紅潤色
家多金玉有良田

四神之宮主尅破

面上有痣主損

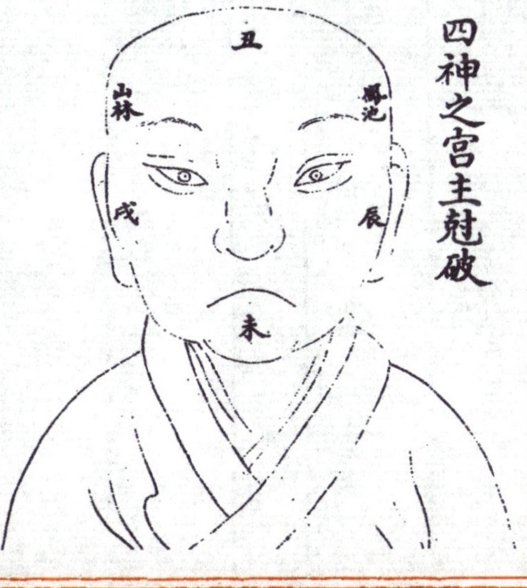

四庫全書
子部

四庫全書記事

子部

三〇

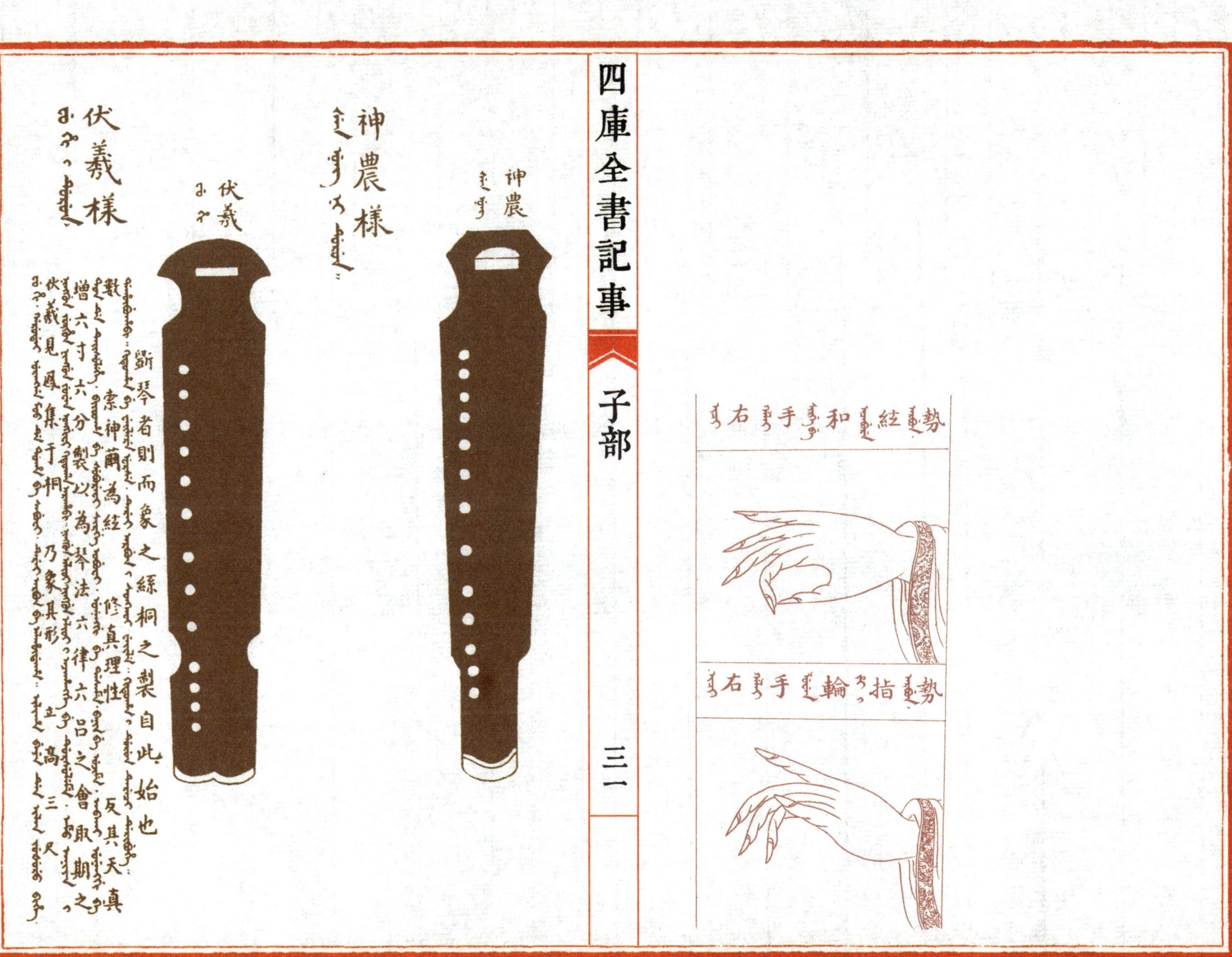

伏羲樣
神農樣
伏羲
神農
伏羲見鳳集于桐乃象其形立高三尺六寸六分製以為琴法六律六吕之會取期之數索神爾為絃修真理性反其天真斲琴者則而象之繇桐之製自此始也
右手和絃勢
右手輪指勢

四庫全書記事

子部

三二

漢犧首杯

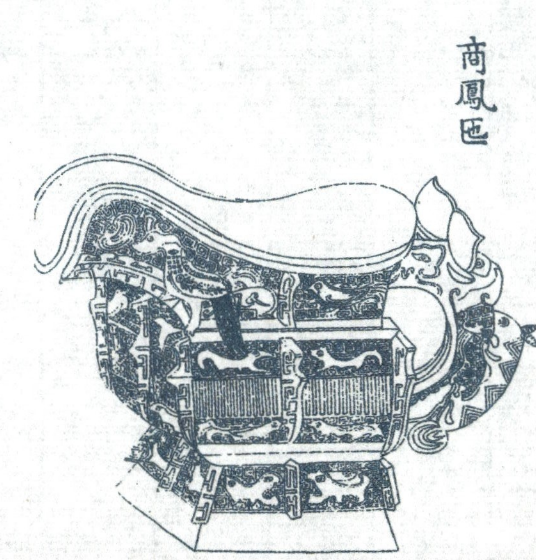

商鳳匜

周楚姬匜盤

漢蟠夔洗

四庫全書薈要
子部
三

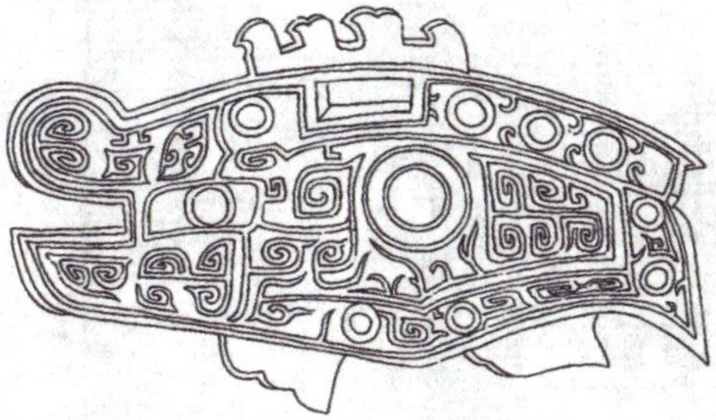
周雷磬一

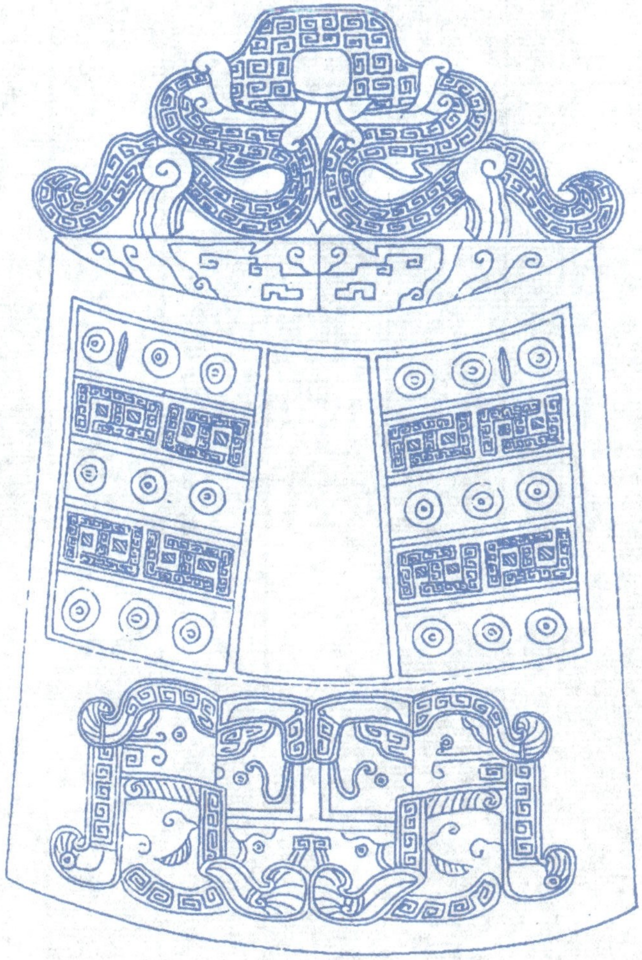
周宋公𦉢鐘六

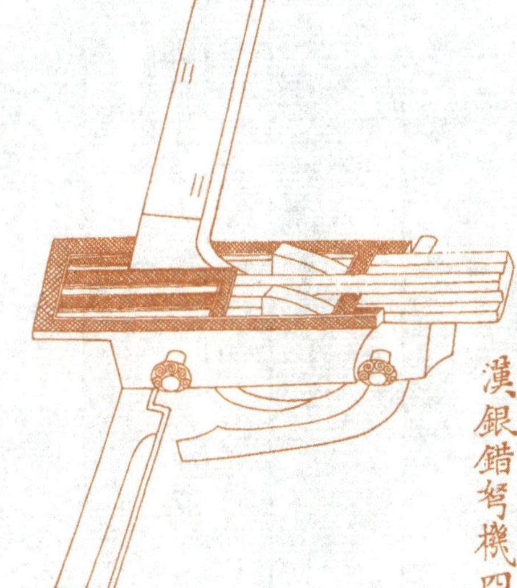

漢銀錯弩機四

漢鳩杖首鐓

子部

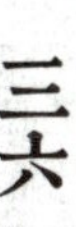

漢龜蛇硯滴一

周辟邪車輅托轅二

四庫全書記事

子部

三七

漢龍提梁

漢刀筆

四庫全書[illegible][illegible]

子部

[illegible]

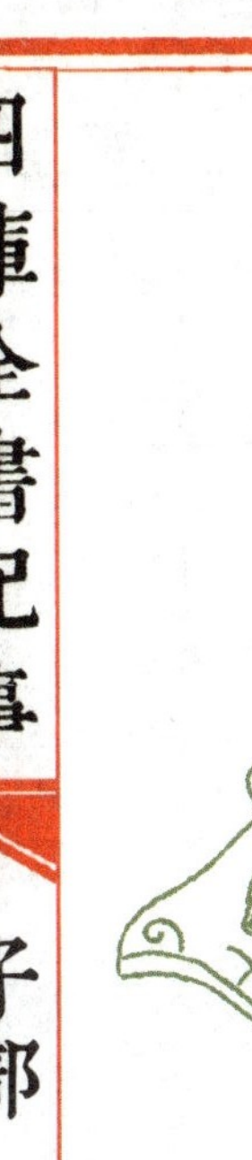

周雞尊一

唐寶花鐵鑑一

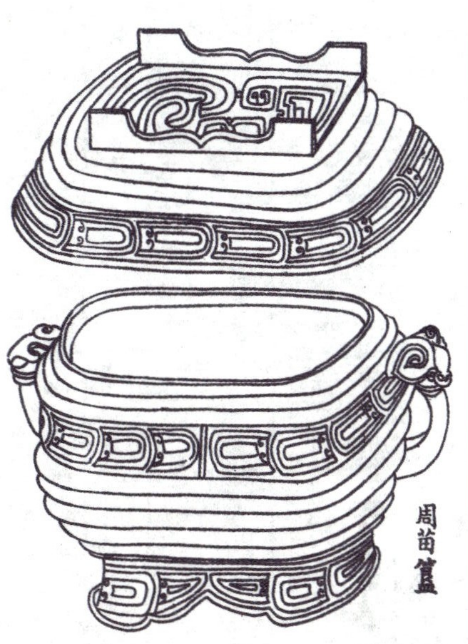
周苗簠

周百乳彝一

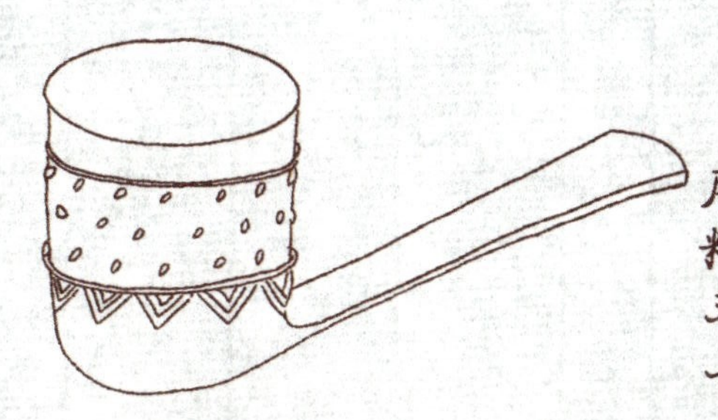
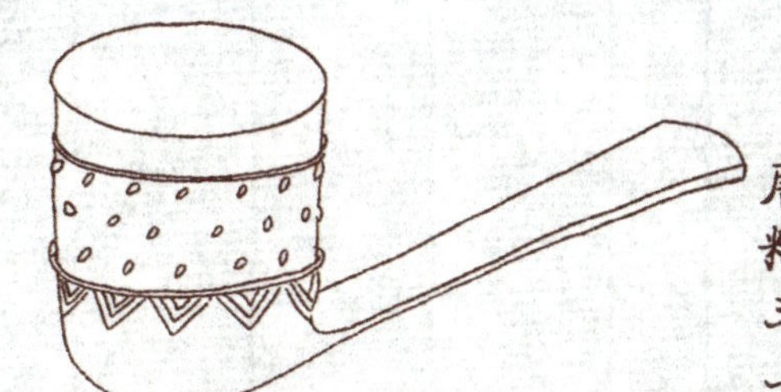
唐糊斗一

漢天祿書鎮

四庫全書
子部
四〇

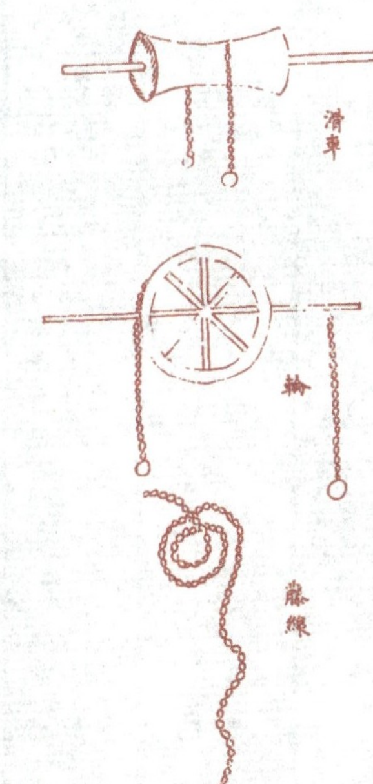

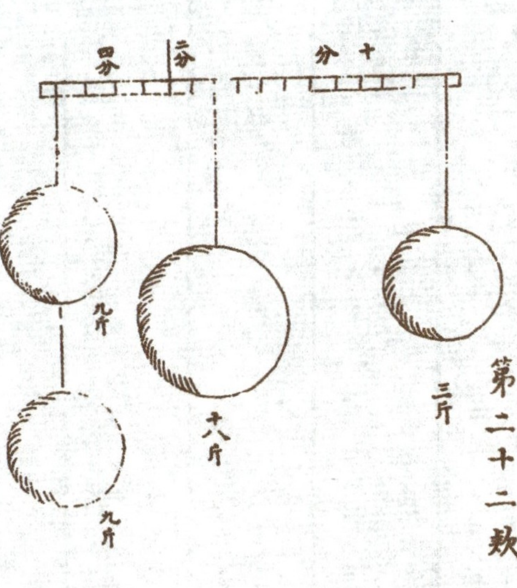

第二十二欵

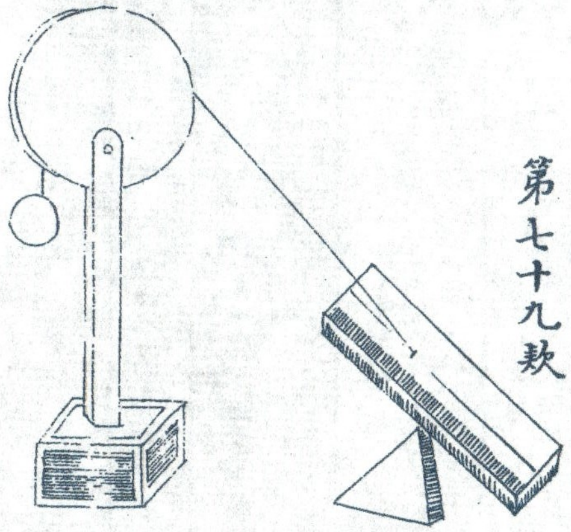

第七十九款

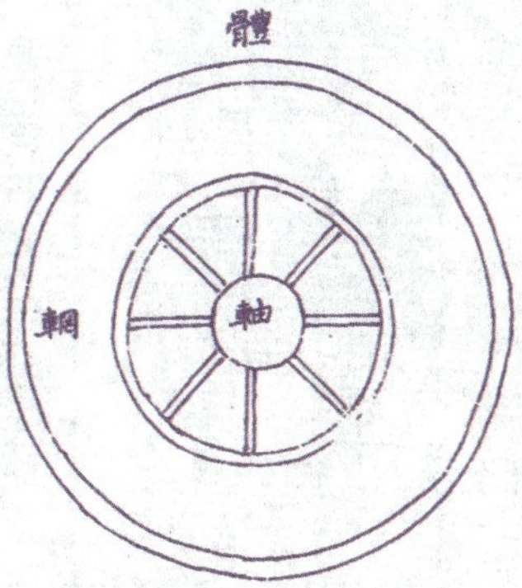

體

輞

軸

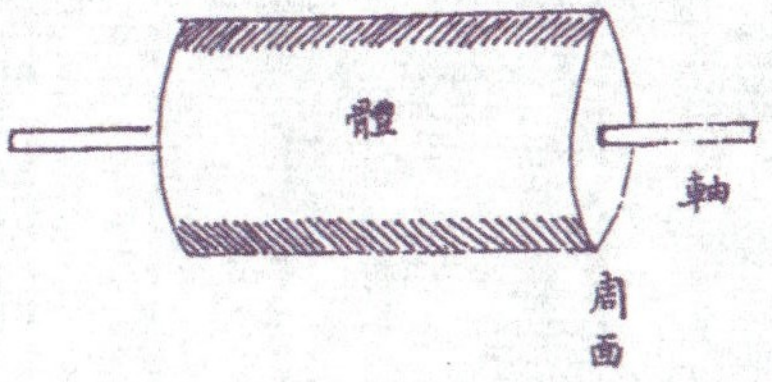

體

軸

周面

第八圖

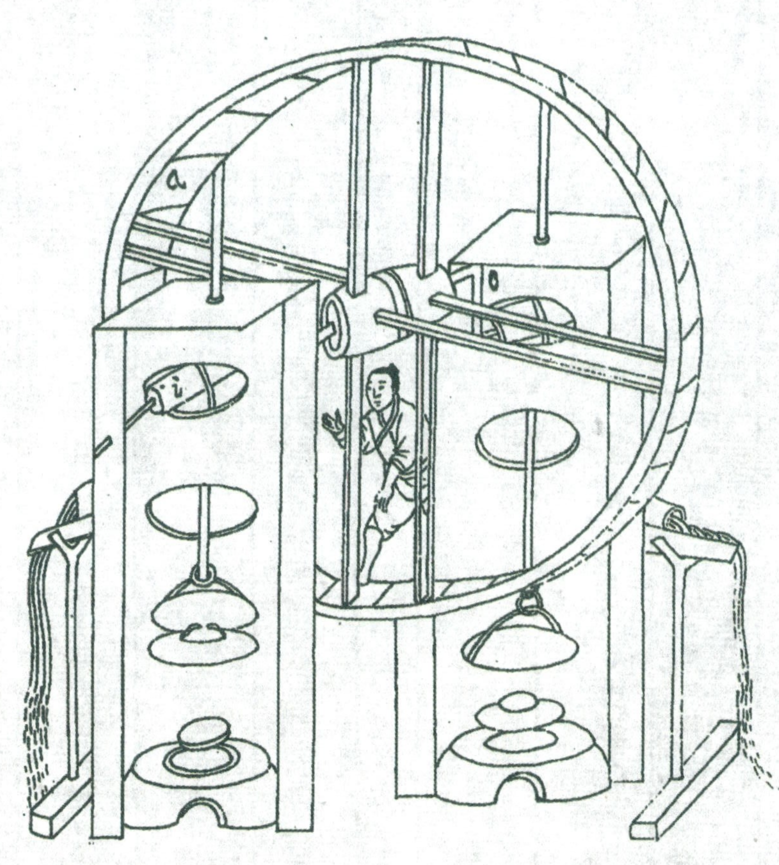

漢銅雀瓦硯背面圖

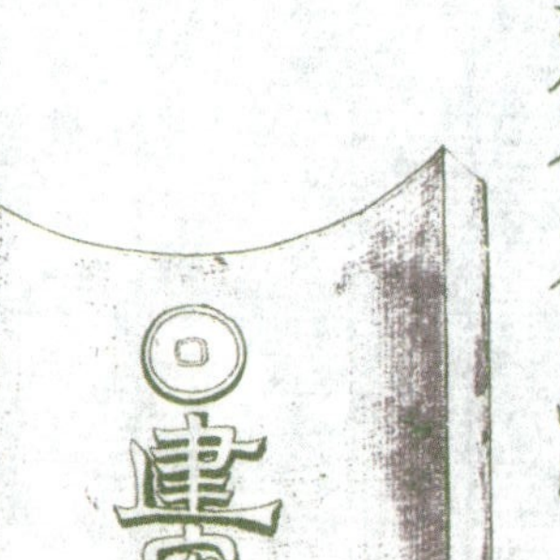

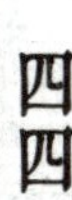

宋合璧端硯背面圖

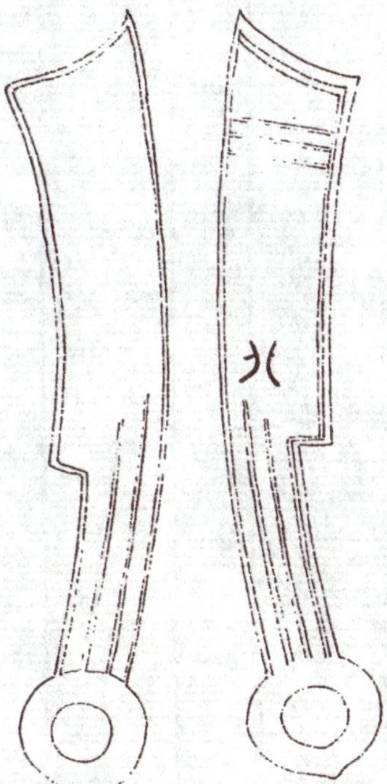

樣製圖

儿

右差布

四庫全書

大鳳

按建安志載銙式有方圓大小式無龍鳳則以竹為圈其製有龍鳳者始用銀銅為圈

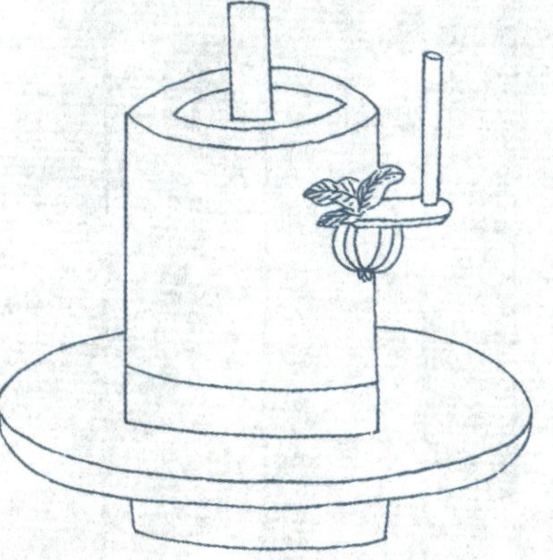

清明三月節坐功圖

運主少陰二氣

時配手太陽小腸寒水

坐功

每日丑寅時正坐定換手左右如引硬弓各七八度叩齒納清吐濁嚥液各三

治病

腰腎腸胃虛邪積滯耳前熱苦及耳聾嗌痛頸痛不可回顧肩拔臑折腰軟反肘臂諸痛

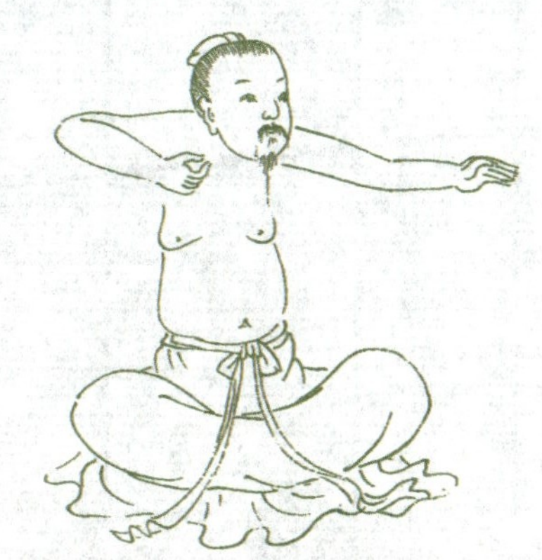

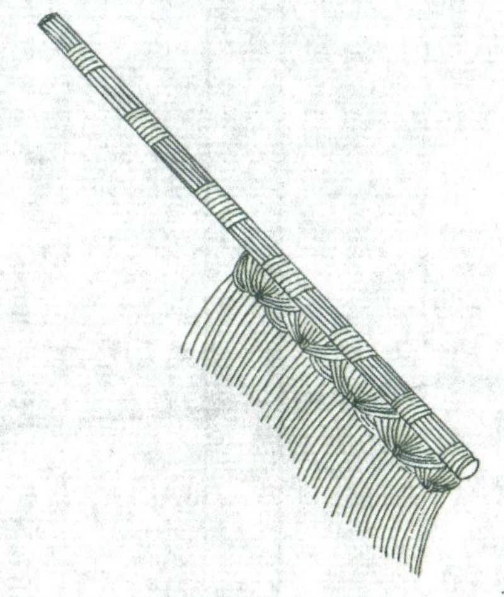

以德讓其樹根置本備豫遠矣初太王居豳狄人侵之事之以皮幣不得免焉事之以珠玉不得免焉於是屬耆老而告曰狄人之所欲吾土地吾聞之君子不以所養人者害人二三子何患乎無君遂獨與大姜去之踰梁山邑於岐山之下豳人曰仁人之君不可失也從之如歸市焉天之與周民之去殷久矣若此而不能天下未之有也武庚惡能侮武庚紂子名祿父與管蔡共為亂也邶詩曰執轡如組兩驂如儛驂之以服和諧中節孔子曰為此詩者其知政乎夫為組者總紕於此成文於彼言其動於近行於遠也執此法以御民豈不化乎竿旄之忠告至矣哉竿旄之詩者樂乎善道告人取喻於素絲良馬如組紕之義

[illegible]吾三矣哉

[illegible]於此取之於詩言其功於近行於遠也[illegible]

孔子曰吾於此詩見其知政乎夫[illegible]者

[illegible]詩曰執轡如組兩驂

[illegible]於此而不能天下未之有也

[illegible]

[illegible]關雎興於鳥而君子美之[illegible]

[illegible]

[illegible]

[illegible]